PENSER, C'EST MOURIR UN PEU

Du même auteur chez le même éditeur :

L'Inspecteur Specteur et le doigt mort, roman, 1998
L'Inspecteur Specteur et la planète Nète, roman, 1999

Ghislain Taschereau

PENSER, C'EST MOURIR UN PEU

LES NTOUCHABLES

Les Éditions des Intouchables bénéficient du soutien
financier de la SODEC, du PADIÉ et sont inscrites
au Programme de subvention globale du Conseil
des Arts du Canada.

LES ÉDITIONS DES INTOUCHABLES
4674, rue de Bordeaux
Montréal, Québec
H2H 2A1
Téléphone : (514) 529-8708
Télécopieur : (514) 529-7780
intouchables@yahoo.com

DISTRIBUTION :
Prologue
1650, boulevard Lionel-Bertrand
Boisbriand, Québec
J7H 1N7
Téléphone : (450) 434-0306
Télécopieur : (450) 434-2627
prologue@prologue.com

Impression : AGMV-Marquis
Infographie : Yolande Martel
Photo de couverture : Marc Dussault
Maquette de couverture : Stéphanie Hauschild

Dépôt légal : 2000
Bibliothèque nationale du Québec
Bibliothèque nationale du Canada

ISBN 2-89549-009-0

1

J'ai mis un poisson-scie et
un requin-marteau dans mon
aquarium et ils se sont construit
un chalet.

2

Au lieu de vouvoyer,
on devrait nounoyer.

3

Quand une princesse couche avec son fils, ça devient une princeste.

4

Si on veut savoir qui est allé aux toilettes avant nous, on n'a qu'à faire étoilette 69.

5

Prendre le taureau par les cornes l'empêche de bouger pendant la fellation.

6

J'ai acheté une robe de chambre mais je n'ai jamais trouvé de chambre à sa taille.

7

Aujourd'hui j'ai fait ma bonne
action, j'ai aidé un camion à
traverser un aveugle.

8

Quand la reine Élisabeth tombe
à pleine face, on peut dire
qu'elle tombe pile.

9

Avant d'épouser un homme,
je vais prendre des cours
de Préparation H.

10

Le fait de dire plusieurs mots
en ligne ne crée pas
nécessairement une phrase.

11

Dans une pomme, on peut
insérer un maximum de quatre-
vingt-deux lames de rasoir
avant qu'il n'y paraisse.

12

Si je parlais chinois,
je ne comprendrais rien
quand je parle.

13

Je viens de me masturber et
j'entends encore très bien.

14

Quand je vais chez le
vétérinaire, il me traite
comme un chien.

15

« On a fait l'amour » exclut
la personne qui parle.

16

Une mouche dans une soupe
compte pour deux cheveux.

17

Je suis capable d'écrire
de la main gauche, mais c'est
impossible à lire.

18

J'ai mangé un billet de vingt
dollars et une boîte de Ex-Lax.
Demain j'aurai de la monnaie.

19

Si un jour la vie nous sépare,
on se rejoint à huit heures
le lendemain matin au bureau
de poste.

20

Les pompiers ont beau arroser
les maisons, elles ne pousseront
pas plus vite.

21

S'il est vrai que Jésus va venir
nous chercher comme un
voleur, faites-vous installer
un système d'alarme.

22

Si les humains n'arrêtent pas de
s'entretuer, ils vont continuer.

23

Je m'achèterais volontiers une maison mais je n'ai pas assez de place dans mon appartement.

24

J'aime bien le condom mais je trouve la pilule plus facile à avaler.

25

Fumez Coca-Cola, le seul
dentifrice qui vous donne
l'heure exacte.

26

S'il y a de la vie sur Mars,
il y en a sûrement aussi
sur Caramilk.

27

L'avantage quand tu marches,
c'est que tu peux tourner à
gauche.

28

Je vais bientôt donner mon nom
au Cirque du Soleil comme
lanceur de fumeur de hasch
au couteau.

29

Si un jour j'ai un enfant,
c'est parce que j'aurai changé
de sexe.

30

Le jour où j'aurai un accident
d'auto mortel, j'espère ne pas
faire de fautes d'orthographe
dans mon constat amiable.

31

Puisqu'on parle au téléphone et qu'on parle au micro, je ne vois pas pourquoi on ne pourrait pas parler à la bouilloire.

32

Quand un gai tricote, c'est une maille à l'endroit, une maille à l'envers, et quand il tripote, c'est un mâle à l'endroit, un mâle à l'envers.

33

J'avais tellement de péchés
à confesser que le curé
m'a engagé.

34

Si un jour je me noie, j'espère
qu'au moins j'aurai soif.

35

Quand les hommes vivront
d'amour, ça fera plus
de femmes pour moi.

36

Chaque fois que j'ai essayé
de devenir alcoolique,
le lendemain j'avais mal
à la tête.

37

J'aimerais bien jouer
à la roulette russe,
mais juste une fois.

38

Les extraterrestres, c'est
du monde comme nous autres,
sauf qu'ils ont un trou
pour le briquet.

39

Si je m'appelais John Molson, vous n'auriez qu'à me vider, me ramener au dépanneur et vous auriez un beau dix cents.

40

Vous pouvez m'offrir des suppositoires en cadeau, mais s'il vous plaît, ne les essayez pas avant.

41

À la pêche, quand tu veux
attraper des truites obèses,
ça prend des vers diète.

42

Une police montée suédoise,
c'est une police IKEA.

43

Jésus était peut-être capable de
changer de l'eau en vin mais,
moi, je suis capable de changer
du steak en merde.

44

Les phrases que vous venez de
lire sont vraies. Seuls les mots
ont été changés.

45

Si un jour j'attrape le cancer,
j'lui crisse une volée.

46

Dans un concours de
masturbation, il est préférable
de ne pas donner la main au
premier venu.

47

Rendons à César ce qui
appartient à César et donnons
le reste aux pauvres.

48

Le journal est livré à ma porte
tous les matins, et ma porte ne
le lit jamais.

49

Parfois les gens pensent que
je me masturbe mais,
dans le fond, je fais juste
bégayer de la main droite.

50

J'aimerais bien manger un
sous-marin, mais j'ai peur
de pas être capable d'avaler
l'équipage.

51

Les voleurs volent, les assassins
assassinent, mais **est-ce** que
les bandits bandent?

52

Si jamais je deviens premier
ministre, ne me laissez pas
souffrir, abattez-moi sans tarder.

53

L'avantage quand tu te
prostitues, c'est que t'as juste à
baisser tes culottes pour montrer
ton C.V.

54

Grâce à la nouvelle méthode
«Coup de .12 dans le visage»,
j'ai enfin arrêté de fumer.

55

Quand Jean Chrétien embrasse
la tour de Pise, ça le remet au
niveau.

56

J'ai acheté un kit pour faire mon
propre vin, ma propre bière et
mes propres maux de tête.

57

Si un jour je deviens végétarien,
je vais devoir me trouver
une blonde en tofu.

58

Quand j'ai des papillons dans
l'estomac et des fourmis dans
les jambes, je prends un grand
verre de Raid et ça se calme.

59

L'autre jour j'ai payé mon saut
de *bunjee* par chèque
et le chèque a rebondi.

60

Se masturber en public tout
en égorgeant des poules peut
sérieusement compromettre
vos chances d'obtenir
le prix Nobel de la paix.

61

Ça ne me dérange pas de faire
l'amour à ta femme, mais, la
prochaine fois, tasse-toi un peu.

62

Si je meurs, j'espère aller en
enfer parce que là, au moins,
je suis sûr qu'on va accepter
mon passeport canadien.

63

Je me suis fait enlever
les amygdales et personne
n'a demandé de rançon.

64

J'ai essayé d'apprivoiser
une truite. Je la promenais
en laisse et, juste comme elle
commençait à s'habituer,
elle est morte.

65

Qu'on trouve que je suis beau à l'intérieur, d'accord, mais qu'on me recouse après, s'il vous plaît.

66

Si un jour je deviens un esclave, je veux qu'on m'attache avec des chaînes stéréo.

67

Quand les poules auront des
dents, elles pourront, elles aussi,
vomir du Kentucky.

68

Je me rongeais tellement les
ongles que j'ai été obligé d'aller
en manucure de désintox.

69

Si quelqu'un mettait bout à bout tous les Big Mac vendus jusqu'à ce jour, il aurait vraiment du temps à perdre.

70

Quand tu fais l'amour avec une poupée en latex, il faut que tu te mettes un condom en peau d'homme.

71

Les borborygmes ne savent
pas se tenir en public,
c'est pourquoi on les enferme
dans notre estomac.

72

Il ne faut jamais laisser
une sauce béchamel six mois
sur le comptoir,
à moins d'être décédé depuis
le même nombre de mois.

73

J'ai réussi à dormir sur
mes deux oreilles mais il a fallu
que je plie mon matelas.

74

Le médecin vient de m'annoncer
une bien triste nouvelle :
il se marie.

75

Tous les samedis matins
à huit heures, je regarde
ma montre et c'est exactement
l'heure qu'il est.

76

Quand j'ai le goût d'une p'tite
vite, je couche avec une naine
saucée dans le tabasco.

77

J'ai mangé un Mister Freeze
bleu, et tout le monde pensait
que j'avais fait une pipe au
Schtroumpf coquet.

78

Quand t'as mal aux dents, passe
ta main dans un malaxeur,
ça change le mal de place.

79

Pour mettre Hitler au pluriel,
ça prend un SS.

80

Si Dieu a créé le monde en
six jours, c'est parce que c'est
tout ce qui lui manquait pour
avoir droit au chômage.

81

Quand je me regarde dans
le miroir, je suis capable de
m'envoyer la main en même
temps que moi.

82

J'ai disséqué un cheval
et il avait l'estomac
dans l'étalon.

83

La différence entre un péché
véniel et un péché mortel est
d'environ quinze centimètres.

84

J'ai observé l'intérieur d'une
fosse septique pendant
une semaine et je ne comprends
toujours pas d'où vient
l'expression « fou comme de
la marde ».

85

A-t-on vraiment besoin de porter un condom quand on s'appelle Plastic Bertrand ?

86

J'ai avalé une truite et elle a mangé mon ver solitaire.

87

Si je me masturbe en regardant
une photo de Pamela Anderson,
les seins doivent lui « siler ».

88

Il est dangereux de jouer
à cache-cache dans un
Winnebago. Surtout quand
le conducteur ferme les yeux
pour compter jusqu'à cent.

89

La question qui me brûle les lèvres, c'est : pourquoi j'ai pris ma cigarette à l'envers ?

90

Quand la nature se déchaîne, il fait bon célébrer l'impuissance de l'homme.

91

Si un géant rencontre Pierre
Lalonde, il risque de s'en servir
comme Q-Tips.

92

J'ai pris une gorgée d'eau bénite
et j'ai roté un ange.

93

Les fleurs poussent sur la Terre.
Voilà pourquoi elle tourne.

94

Quand tu dépasses la vitesse du
son, tu peux t'envoyer chier
et t'entendre seulement quand
tu t'arrêtes.

95

Je ferai un infarctus seulement
si le cœur m'en dit.

96

La meilleure façon de maigrir
pour un lépreux, c'est de se
faire donner un bon massage.

97

Si jamais vous me surprenez
avec une prostituée, prêtez-moi
cinquante dollars.

98

Je me suis fait faire la barbe et
j'ai payé en petites coupures.

99

Il est préférable de ne pas dire
au président de la SPCA de se
dépêcher sous prétexte qu'on a
d'autres chats à fouetter.

100

J'ai fait l'amour avec la
Schtroumpfette et je crois
qu'elle sera obligée d'aller chez
Schtroumpfgantaler.

101

J'ai hâte à la fin du monde pour
voir le nom de l'auteur
au générique.

102

Plus t'es riche et plus tes
spermatozoïdes sont dans de
beaux draps.

103

Si je trouve un aspirateur avec
des ailes, je vais pouvoir
nettoyer mon tapis volant.

104

Quand tu meurs d'un accident
d'auto, le film de ta vie passe
sur un écran de ciné-parc.

105

Je suis capable de marcher dans
la forêt sans laisser aucune trace
d'orignal derrière moi.

106

La mort demeure la meilleure
anesthésie avant une autopsie.

107

Étant donné que les humains ne
sont pas tous égaux, il faudra
que les plus grands se placent
derrière pour la photo.

108

Jean-Paul 2 plus Rocky 5,
multiplié par Alien 3, ça donne
Trisomie 21.

109

Sur ma tombe, je veux qu'on
écrive : « Fermé pour cause de
décès ».

110

J'aimerais bien lire *Tintin au
Congo* mais c'est un peu trop loin.

111

Si les Indiens sont dans
des réserves, c'est parce qu'ils
n'excellent pas au bowling.

112

Le jour où j'aurai des
champignons, je pourrai offrir
des fellations hallucinogènes.

113

Si tu sauces un aveugle dans
la mélasse et que tu le roules
ensuite dans le bran de scie,
c'est juste méchant pour rien.

114

Quand une personne crache en
parlant, c'est qu'elle a une tête
d'eau.

115

J'aimerais bien répondre à vos
besoins, mais encore faudrait-il
que vos besoins m'adressent
la parole.

116

Faisant partie de ma propre
famille, quand je me masturbe,
c'est de l'inceste.

117

Je trouve les politiciens
tellement sympathiques que je
n'aurais aucun problème à dire
« Mes sympathies » à leur
famille.

118

Si vous trouvez 13,88 $ par terre,
ou toute autre somme,
c'est à moi.

119

Après avoir mangé de la vache folle, il est préférable de manger un psychiatre.

120

Étant donné que les prêtres n'ont pas le droit de faire l'amour, ils se contentent de baiser comme des bêtes.

121

Quand un horloge grand-père
a mauvaise haleine, elle prend
des tic-tac.

122

Si le juge nous demande de
nous lever quand il entre dans
le tribunal, c'est parce qu'il veut
voir s'il est le seul trou du cul
dans la place.

123

Une personne a beau souffrir
de quadruple personnalité,
elle ne peut pas faire un suicide
collectif toute seule.

124

Quand tu fais un face à face,
t'as droit à un tour d'ambulance
gratuit.

125

Les humains ont un point commun : ils crient tous quand on leur coupe le gros orteil.

126

Si une femme se fait avorter après être tombée enceinte de Jean Chrétien, c'est de la légitime défense.

127

Quand un musulman sent le p'tit Jésus, ça trouble sa religion.

128

L'homme-éléphant est tellement laid que même son miroir lui renvoie son image.

129

À l'Halloween, j'aimerais bien
me déguiser en Christophe
Colomb, mais c'est une rue qui
est un peu trop longue.

130

Je suis capable de tirer un camion
avec mes cheveux à condition
que ce soit écrit « Tonka » dessus.

131

Si une fourmi est capable de transporter soixante fois son poids, Pavarotti est une fourmi.

132

Je mange sans arrêt pour oublier que je suis anorexique.

133

Quand le président des États-Unis fait le tour de son pays, il est dans tous ses états.

134

Les vêtements des politiciens sont confectionnés avec un tissu de mensonges.

135

De fil en aiguille, mon couturier
est devenu héroïnomane.

136

L'avantage quand on voit un
ami à minuit moins une, c'est
que deux minutes après on le
revoit le lendemain.

137

Je suis pour l'affichage bilingue
à condition que ce soit écrit
seulement en français.

138

Si le curé m'avait baptisé avec
de l'eau de Cologne, mon nom
sentirait bon.

139

Certains font l'amour deux fois par jour. Moi, je le fais deux jours par fois.

140

Les gâteaux de fête sans chandelles servent à fêter les gens qui n'existent pas.

141

Si tous les hommes se donnaient la main, il n'y a que les deux de chaque bout qui pourraient encore se masturber.

142

James Bond a soufflé dans l'ivressomètre et il a pété .007.

143

Quand y fait un temps de cul,
c'est qu'il manque une épingle à
la couche d'ozone.

144

Je suis contre la maladie de la
vache folle car elle a été testée
sur des animaux.

145

J'aimerais mieux recevoir cent cinquante roches par la tête plutôt qu'être lapidé.

146

Si tu vas aux toilettes après la femme-chat, t'es obligé de déterrer le bol.

147

Étant donné que la justice a le
bras long, elle peut se graisser
la patte.

148

Le seul homme à qui les femmes
permettent de mentir,
c'est Pinocchio pendant
un cunnilingus.

149

J'aimerais bien faire des pontages mais je ne coronarien là-dedans.

150

Quand un avocat entre en prison avant d'avoir fini son barreau, ça lui en fait un de moins à scier.

151

J'ai eu beau fouetter une vache
à mort, elle ne m'a jamais
donné de lait fouetté.

152

La mascotte des Rock Machines
et des Hell's Angels,
c'est Badaboum.

153

Dans les pays où y a
l'apartheid, les télés diffusent
encore en noir et blanc.

154

Si tu montes un épileptique
dans une échelle de Richter,
il arrête de trembler.

155

Les êtres humains ont la
fâcheuse manie d'arrêter
de respirer après avoir reçu cinq
balles dans la tête.

156

Dans un bar gai, quand
un client crie : « Cul sec ! »,
les autres répondent :
« Pénétration difficile ! »

157

On peut toujours vider les
cendriers, vider la poubelle,
les fosses septiques, mais un
jour il faudra bien vider la Terre.

158

Le signe astrologique de Jojo
Savard, c'est le signe de piastres.

159

Vu que les moufettes ont une
ligne blanche pleine sur le dos,
il est interdit de les dépasser.

160

Si jamais je me retrouve avec
un clou de huit pouces dans
un œil, ne me le dites pas.
Ce qu'on ne sait pas, ça ne fait
pas mal.

161

Je me suis loué un 8 $^1/_2$. Il ne me reste plus qu'à trouver un autre soulier de la même grandeur.

162

Quand les hommes des cavernes ont découvert le feu, ils étaient tellement contents qu'ils ont arrosé ça.

163

Un obèse dans une tribu
cannibale, c'est une cantine
mobile.

164

J'ai fait l'amour sur le lit d'un
fakir, et ma poupée gonflable
a éclaté.

165

J'ai tellement un gros problème
de dédoublement de
personnalité que je suis capable
de m'embarquer sur le pouce.

166

Quand Gargamel est à court
de Schtroumpfs, il mange des
Casques bleus.

167

Jamais je ne frapperais une mouche, à moins qu'elle ne soit dans la face de Jean Chrétien.

168

Un copain homosexuel m'avouait récemment que ses amants ont deux fois plus de plaisir depuis qu'il s'est fait tatouer un mot croisé dans le dos.

169

Si John Lennon était vivant
aujourd'hui, il pourrait vendre
son cercueil.

170

Je reçois mes grands-parents
à souper. C'est bien que le
cimetière fasse la livraison.

171

Si tu entres ton bras jusqu'au coude dans la bouche d'une astrologue et que tu la vires à l'envers, elle peut te prédire le passé.

172

On dira ce qu'on voudra mais les gens du tiers monde sont quand même les mieux équipés pour faire une grève de la faim.

173

J'ai tellement mangé d'arachides
que j'ai de la corne sur les dents.

174

J'ai trouvé une lampe magique
dans le désert. Je l'ai frottée et
elle est devenue super-propre.

175

Si tu fais l'amour à une fakir
qui a la grippe, tu risques de
rester cloué au lit.

176

Quand un Noir est en deuil,
il a juste à se mettre tout nu.

177

Si j'étais ministre de la Santé,
j'interdirais le tabac partout,
sauf dans les cigarettes.

178

Il y a tellement de Chinois qui
appellent chez nous que le
téléphone ne déjaunit pas.

179

Il n'y a que quand tu fais l'amour à une policière que tu peux vraiment dire que tu entres dans la police.

180

J'ai essayé de me faire une tirelire avec un couteau, et le petit bébé cochon est mort.

181

Pour plier le bras, c'est le biceps,
pour le déplier, c'est le triceps,
et pour lever le coude,
c'est le Cégep.

182

Si je me fie à la fréquence de
mes séances de masturbation, je
crois que ma main droite est
homosexuelle.

183

L'homme est en ceci magnifique
qu'il est un peu moins bête que
le chien.

184

Quand je mourrai, ne
m'enterrez pas, que je puisse
vous empester encore un peu.

185

J'ai essayé de gonfler un pneu
d'auto avec ma bouche, mais
l'auto allait trop vite.

186

Si Jésus avait été crucifié sur
une croix rouge, il aurait perdu
beaucoup moins de sang.

187

Je suis d'accord pour jouer à
pile ou face, mais ne me lancez
pas trop haut.

188

La torture est une expérience
scientifique sur des rats
raisonnables.

189

«Moi, monsieur, je parle anglais, français et espagnol.
— Bien. Mais avez-vous quelque chose à dire?»

190

Tout ce que l'homme fait et dit dans sa vie n'a aucune espèce d'importance. Parlez-en à un cadavre.

191

Le filet mignon l'est beaucoup
moins après digestion.

192

Si on n'arrête pas de laisser
entrer des immigrants de
couleur à Montréal, on va finir
par perturber nos daltoniens.

193

Les Américains, ils l'ont, l'affaire.
Il leur reste juste à la trouver.

194

Il n'y a rien d'impoli à parler la
bouche pleine, à condition
qu'elle soit pleine de jolis mots.

195

Si la folie et le génie se côtoient
vraiment, j'aimerais bien
entendre des extraits de leurs
conversations.

196

Il y a deux moyens de savoir si
une personne vous aime
vraiment. J'aimerais bien les
connaître.

197

Mon père a fait de moi un des
enfants dont ma mère a
accouché.

198

Le tennis est un sport
formidable. Dommage qu'à
Téhéran, on doive le pratiquer
en tchador.

199

Pourquoi s'aimer quand on peut
se taper sur la gueule ?

200

Les Jaguar sont très faciles à
égratigner.

201

J'ai tué une mouche et Colombo
n'a même pas ouvert d'enquête.

202

Si jamais je meurs d'une surdose,
je lâche la drogue.

203

Ça ne me dérange pas que les castors fassent un barrage, tant qu'ils ne me font pas souffler dans la balloune.

204

L'avantage quand t'es superstitieux, c'est qu'il n'y a aucun danger que tu sautes en bas d'un treizième étage.

205

Qu'on se moque de moi, d'accord, qu'on me frappe à coups de barre de fer, passe encore, qu'on me fonce dessus en auto, je veux bien, mais que tout cela soit fait sans sourire, c'est inadmissible.

206

Quand le médecin te donne une prescription, ça veut dire que ce n'était pas vraiment de l'amour.

207

J'ai fait une soupe aux poissons,
et les poissons ne veulent pas
en manger.

208

Si c'est en forgeant qu'on
devient forgeron, c'est en étant
qu'on devient étron.

209

Quand j'ai dit à un ami gai
que les suppositoires étaient
en promotion à la pharmacie,
ce n'est pas tombé dans l'anus
d'un sourd.

210

Afin de connaître un succès
certain dans les bars, abordez les
filles avec la formule suivante :
« Mademoiselle, faites-moi une
phrase avec "voulez-vous coucher
avec moi ce soir ?" »